KU-386-001

ALI BABA NEMBAVHA MAKUMI MANA

Ali Baba *and* *the* Forty Thieves

Retold by Enebor Attard

Illustrated by Richard Holland

Shona translation by Derek Agere

Schools Library and Information Services

S00000711928

Mantra Lingua

Kare kare kuArabia, usiku mwedzi vakachena, Ali Baba akaona
zvinhu zvaasina kunzwisisa apo aitsvaka huni. Pane ruzha, rwakaita se
mabhanan'ana, rwakabva kwete mudenga, asi kubva pasi pasi penyika.

A long time ago in Arabia, on a full moon night, Ali Baba noticed something very
strange as he gathered firewood. A rumbling sound, like thunder, came not from
the sky, but from below the earth.

Chakazoshamisa Ali Baba, zidombo ziguru
rakatanga kukunguruka rega, richiratidza bako.

And to Ali Baba's astonishment, a gigantic rock
rolled across on its very own, revealing a dark cave.

Kuchena kwemwedzi kwairatidza mumvuri vakasiyana siyana pamatombo. Ali Baba akanyumwa kuti haasi ega. Aka swedera pedyo akapotsa adonha pane mahachi ange akamirira vachairi vavo. Ali Baba akahwanda akaona vanhu vainge vakapfeka zvimabhachi nemadhuku akavharidzira kumeso vachifamba vakananga kwaainge ari.

The moonlight sent strange shadows across the rocks. Ali Baba felt he was not alone. He crept closer and nearly fell upon a pack of horses waiting for their riders. Ali Baba hid and it was not long before a bunch of shadowy cloaks and hoods came out of the cave towards him.

Vainge vari mbavha dzakamirira Ka-eed, mutungamiri vavo.
Apo Ka-eed akabuda, akatarisa kudenga akadaidzira achiti, "Vhara Sesame!"
Zidombo ziguru rakazunguzika ndokutanga kukunguruka, richivhara
muromo webako… asi Ali Baba akazviona.

They were thieves waiting outside for Ka-eed, their leader.
When Ka-eed appeared, he looked towards the stars and howled out, "Close Sesame!"
The huge rock shook and then slowly rolled back, closing the mouth of the cave,
hiding its secret from the whole world... apart from Ali Baba.

Varume ava pavakaenda, Ali Baba akasairira zidombo iri.
Zidombo iri harina kana kumbozunguzika.
"Vhura Sesame!" Ali Baba akataura zvinyoro nyoro.
Zvishoma nezvishoma zidombo rakatanga kukunguruka, richiratidza bako rakadzama chose. Ali Baba akaedza kufamba zvinyoro nyoro asi matsimba ake aita ruzha runonzwika kure. Akatsvedza. Akapunzikira pane rukukwe rwejira rakapfawa zvikuru. Munharaunda mainge mune masaga endarama nendurumo, nemakomichi akazara sanadawana ne madayamondi, nemamwe makomichi makuru akazara… nemari yendarama.

When the men were out of sight, Ali Baba gave the rock a mighty push.
It was firmly stuck, as if nothing in the world could ever move it.
"Open Sesame!" Ali Baba whispered.
Slowly the rock rolled away, revealing the dark deep cave. Ali Baba tried to move quietly but each footstep made a loud hollow sound that echoed everywhere.
Then he tripped. Tumbling over and over and over he landed on a pile of richly embroidered silk carpets. Around him were sacks of gold and silver coins, jars of diamond and emerald jewels, and huge vases filled with... even more gold coins!

"Asi ndiri kurota?" akazvibvunza Ali Baba. Akasimudza zvekuisa muhuro
zve madayamondi ndobva kupenya kwacho kwakwadza maziso ake.
Akapfeka chipfekwa chemuhuro. Akatora chimwe, nechimwe zve.
Akazadza masokisi nendarama. Akazadza mbudu dzake nendarama zvekuti
aitadza kufamba kubva mubako umu.
Apanze, akatendeuka ne kushaura achiti: "Vhara Sesame!" ne zidombo rikavhara.
Ali Baba akatora nguva yakareba kuti asvike kumba kwake. Mudzimai vake
achimuona akachema misodzi yekufara. Iko zvinho, kwane mari yakawanda
ichavararamisa chose.

"Is this a dream?" wondered Ali Baba. He picked up a diamond necklace and the
sparkle hurt his eyes. He put it around his neck. Then he clipped on another, and
another. He filled his socks with jewels. He stuffed every pocket with so much
gold that he could barely drag himself out of the cave.
Once outside, he turned and called, "Close Sesame!" and the rock shut tight.
As you can imagine Ali Baba took a long time to get home. When his wife saw
the load she wept with joy. Now, there was enough money for a whole lifetime!

Mangwana acho, Ali Baba akaudza muning'ina wake, Cassim, zvenge zvaitika.
"Usatambire pabako," Cassim akapa yambiro. "Pano tyisa zvekuti."
Asi Cassim aityira hutano hwe mukoma wake here? Kwete, kana zvachose.

The next day, Ali Baba told his brother, Cassim, what had happened.
"Stay away from that cave," Cassim warned. "It is too dangerous."
Was Cassim worried about his brother's safety? No, not at all.

Manheru acho, munhu wese avata, Cassim akasvova kubvamumusha umu nemanyurusi ake matatu. Asvika panzvimbo iya akadaidza, "Vhura Sesame!" zidombo riya rikavhurika. Manyurusi maviri akapinda, asi rechitatu rakaramba kufamba. Cassim akazunza zunza, akarova nekupopota kusvikira nyurusi rapinda. Asi nyurusi iri rakange ratsamwazvekuti rakabanha zidombo ndokubva ratangisa kuvhara.
"Famba iwe chimhuka chakapusa," akashaura Cassim.

That night, when everyone was asleep, Cassim slipped out of the village with three donkeys. At the magic spot he called, "Open Sesame!" and the rock rolled open. The first two donkeys went in, but the third refused to budge. Cassim tugged and tugged, whipped and screamed until the poor beast gave in. But the donkey was so angry that it gave an almighty kick against the rock and slowly the rock crunched shut.
"Come on you stupid animal," growled Cassim.

Mukati mebako umu, Cassim akasekerera nezvaiona. Akakurumidza kuzadza mabhegi ake, akatutira pamanyurusi. Cassim atadza kutakura zvimwe, akafunga kuenda kumba. Akadaidzira: "Vhura Cashewie!" Hapana chakaitika.
"Vhura Almony!" akadaidzira. Zvakare hapana chakaitika.
"Vhura Pistachi!" Hapana chakaitika.
Cassim akanga orohwa nehana. Akachema akapopota achiedza
kuti arangariremazwi ekuti "Sesame"!
Cassim nemanyurusi ake vakatadza kubuda mubako.

Inside, an amazed Cassim gasped with pleasure. He quickly filled bag after bag,
and piled them high on the poor donkeys. When Cassim couldn't grab any more,
he decided to go home.
He called out aloud, "Open Cashewie!" Nothing happened.
"Open Almony!" he called. Again, nothing.
"Open Pistachi!" Still nothing.
Cassim became desperate. He screamed and cursed as he tried every way possible,
but he just could not remember "Sesame"!
Cassim and his three donkeys were trapped.

Rave ramangwana mudzimai va Cassim akauya akagogodza pagoni pa Ali Baba.

"Cassim haana kuuya kumba," akachema. "Ari kupi? Oh, ari kupi ko?"

Ali Baba akashamisika. Akatsvaka munin'ina vake pese paifungira kusvikira aneta. Cassim angave kupiko?

Ndokubva arangarira.

Akaenda kunzvimbo yezidombo riya. Mutumbi va Cassim vekenge uri kunze kwe bako. Mbavha dziye dzakange dzamuwana.

"Cassim anosungurira kuvhigwa nekukasira," akafunga Ali Baba, akatakura mutumbi vemukoma vaka vairema zvikuru.

Next morning a very upset sister-in-law came knocking on Ali Baba's door.

"Cassim has not come home," she sobbed. "Where is he? Oh, where is he?"

Ali Baba was shocked. He searched everywhere for his brother until he was completely exhausted. Where could Cassim be?

Then he remembered.

He went to the place where the rock was. Cassim's lifeless body lay outside the cave. The thieves had found him first.

"Cassim must be buried quickly," thought Ali Baba, carrying his brother's heavy body home.

Mbavha padzakadzoka dzakashaya kuti mutumbi uya vaendepi. Pamwe mhuka dzesango dzenge dzatakura Cassim. Asi komatsimba aya ndechii?

"Pane munhu anoziva nezvapano," akapopota Ka-eed nekutsamwa.

"Anotofanirwa kuuraiwa munhu iyeye."

Mbavha idzi dazakateedza tsoka idzi dzainge dzakananga kumba kwa Ali Baba.

"Ndipo pano," akafunga Ka-eed, achinyora dendera chena pagoni.

"Ndichamuuraya manheru, vanhu vose varara."

Asi Ka-eed haana kuzviziva kuti pane munhu amuona.

When the thieves returned they could not find the body. Perhaps wild animals had carried Cassim away. But what were these footprints?

"Someone else knows of our secret," screamed Ka-eed, wild with anger. "He too must be killed!"

The thieves followed the footprints straight to the funeral procession which was already heading towards Ali Baba's house.

"This must be it," thought Ka-eed, silently marking a white circle on the front door. "I'll kill him tonight, when everyone is asleep."

But Ka-eed was not to know that someone had seen him.

Mushandi, Morgianna, akange achimuona.
Akango fungira kuti munhu uyu akaipa. "Mavara aya anorevei?"
akazvibvunza achimirira Ka-eed kuti aende. Morgianna akabva
aita zvinhu zvaka chenjera. Akatora choku ndokunyora goni
rese mumusha umu nemavara aya.

The servant girl, Morgianna, was watching him.
She felt this strange man was evil. "Whatever could
this circle mean?" she wondered and waited for
Ka-eed to leave. Then Morgianna did something
really clever. Fetching some chalk she marked
every door in the village with the same white circle.

Manheru iwayo mbavha dziye ndokuuya mumusha umu
chinyararire munhu wese akarara.

"Iyo ndiyo imba yacho," akadaro mumwe.

"Kwete, ndeiyo," akadaro mumwe wacho.

"Uri kuti chii? I ri pano," akadaro mbavha yechitatu.

Ka-eed akatenderera musoro. Zvinhu zvenge zvanyangara.

Akataurira vamwe vake kuti vadzokore kwavabva.

That night the thieves silently entered the village when everyone was fast asleep.

"Here is the house," whispered one.

"No, here it is," said another.

"What are you saying? It is here," cried a third thief.

Ka-eed was confused. Something had gone terribly wrong, and he ordered his thieves to retreat.

Mangwana makuseni seni Ka-eed akadzoka.
Mubvuri vake vasvika paimba ya Ali Baba Ka-eed akabva aziva
kuti ndivo mavara aenge anyora. Akatanga kufunga zvekuita.
Aizonopa Ali Baba ne makumi mana ekomichi dze kuchengeta
maruva. Mukati mekomichi yemaruva munenge muine mbavha
imweyo, nezibanga, yakamirira.
Zuva iroro, Morgianna akashamisika achiona ngamera, mahachi
nengoro zvimire pagoni pa Ali Baba.

Early next morning Ka-eed came back.
His long shadow fell on Ali Baba's house and Ka-eed knew that *this*
was the circle he could not find the night before. He thought of a plan.
He would present Ali Baba with forty beautifully painted vases.
But inside each vase would be one thief, with his sword ready, waiting.
Later that day, Morgianna was surprised to see a caravan of camels,
horses and carriages draw up in front of Ali Baba's house.

Murume aiva akapfeka machira nenguvane ine mawara mawara akasvika pagoni pa Ali Baba. "Ali Baba," murume uyu akadaidza. "Wakakomborerwa iwe. Kutsvaka ne kuyamura munin'ina wako enge adyiwa nemhuka dzemusango zvinoratidza kushinga. Tinofanira kuti tikupe mubayiro. Mambo vedu Sheikh, vekuKurgoostan, vanokuremekedzai ne makumi mana endarama."

Ali Baba nekusangwara kwake akatambira zvipo izvi achisekerera.

"Tarisa, Morgianna, tarisa zvanadapiwa izvi," akataura.

Asi Morgianna anga asina chokwadi nazvo. Akango nyumwa kuti pane zvakaipa zvichaitika.

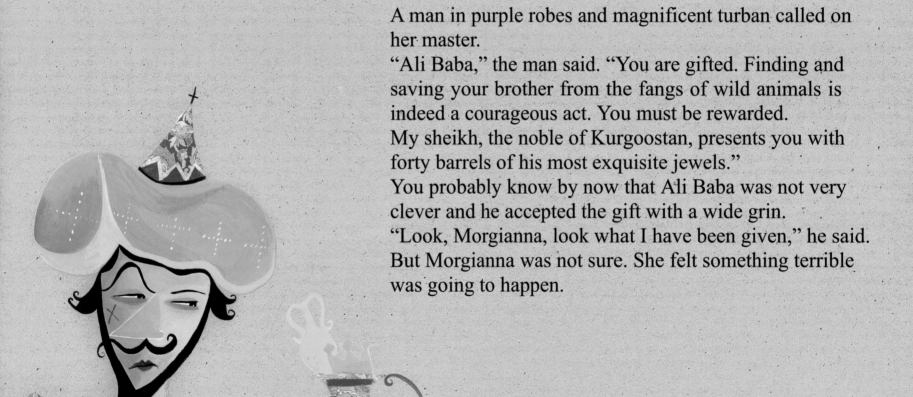

A man in purple robes and magnificent turban called on her master.

"Ali Baba," the man said. "You are gifted. Finding and saving your brother from the fangs of wild animals is indeed a courageous act. You must be rewarded.

My sheikh, the noble of Kurgoostan, presents you with forty barrels of his most exquisite jewels."

You probably know by now that Ali Baba was not very clever and he accepted the gift with a wide grin.

"Look, Morgianna, look what I have been given," he said. But Morgianna was not sure. She felt something terrible was going to happen.

"Kurumidza," akadaidzira, apo Ka-eed aenda. "Dziyisa migomo mitatu yemafuta kusvika utsi vakubuda mupoto. Kurumidza, nguva isati yapera. Ndichazotsanangura hangu pane imwe nguva."

Ali Baba akaunza mafuta, aipwititika nekubuda hutsi. Morgianna akazadza bagidi remafuta aya akadira mugomo wekutanga, akavhara chivharo chacho. Mugomo uyu wakazunguzika zvakasimba, ukapotsa wakudubuka. Ndobva yamira. Morgianna akavhura mugomo uya Ali Baba ndokuonamuine mumwe wembavha akatofa.

Apo aziva kuti ndizvo zvenge zvarongwa, Ali Baba akabatsira Morgianna kuuraya mabavha dzose nenzira iyoyi.

"Quick," she called, after Ka-eed had left. "Boil me three camel-loads of oil until the smoke rises out of the pots. Quick, I say, before it is too late. I will explain later."

Soon Ali Baba brought the oil, spluttering and hissing from the flames of a thousand burning coals.

Morgianna filled a bucket with the evil liquid and poured it into the first barrel, shutting the lid tight. It shook violently, nearly toppling over. Then it became still. Morgianna quietly opened the lid and Ali Baba saw one very dead robber!

Convinced of the plot, Ali Baba helped Morgianna kill all the robbers in the same way.

Manheru iwayo Ka-eed akasvika kuzodya mabiko na Ali Baba.
Vakadya nyama nezingwa rakabikwa nenzira dzakanaka.
Vakanwa huchi wemuchero wakanaka. Asi zvakafadza
imveyesano ya Morgianna! Ka-eed haana kuwana mukana.
Akanga adakwa achidzvova nekuzvimbirwa nechikafu
chakanaka, maziso ake akange asingawone zvakanaka
achitarisa matambiro a Morgianna.
Akazongonzwa zibanga rakashongenzwa ne madayamondi
richipinda mumoyo make.

That evening Ka-eed arrived to feast with Ali Baba.
They gorged on meats and breads cooked in wonderful ways.
They drank the rich nectar of sumptuous fruits. But the
highlight was Morgianna's dance! Poor Ka-eed did not have a
chance. Belching with the rich food, his eyes rolled round and
round watching Morgianna spin closer and closer.
Then all of a sudden, he felt a diamond studded dagger plunge
into the depths of his heart.

Mangwana acho Ali Baba akadzokera kunzvimbo ye zidombo riya. Akatora zvese zvaiwa
mubako umu mari nematombo akakosha akadaidzira achiti: "Vhara Sesame!" kekupedzisira.
Akapa mari nezvese zvinokosha kune vanhu vakaita kuti Ali Baba ave mambo vavo.
Ali Baba akazosarudza kuti Morgianna ave gurukota rake guru.

The next day Ali Baba returned to the place where the rock was. He emptied the cave
of its secret coins and jewels and he called out, "Close Sesame!" for the last time.
He gave all the jewels to the people, who made Ali Baba their leader.
And Ali Baba made Morgianna his chief adviser.